Contents

ZAYA‧奧比丁

●五歲成為孤兒，之後就為了保護妹妹在混亂的星球辛苦求生，後來16歲時被迫進入宇宙最大地下黑幫組織成為頭號女特務、後來成為首領貼身保鑣，直到因為懷了雙胞胎才退出組織，36歲成為一個"大家都看不太懂"的雕塑藝術家。

卡門‧奧比丁

●ZAYA的妹妹，自小父母亡故後即受到姐姐的保護，之後ZAYA進入反空間、世界重組後，卡門成為雙胞胎的母親。

斯坎特‧賽米

●也是黑幫組織超級特務，和ZAYA負責的區域不同，身高1米85棕髮、紅眼，地球年齡37歲。在世界重組後成為雙胞胎的父親，也同樣為了雙胞胎女兒金盆洗手、只想過平凡幸福的人生。

冒險　即將開始

歡迎來到ZAYA的未來世界……

蘭妮、妮雅拉

●ZAYA的雙胞胎女兒，成績優異的好孩子，最喜歡吃塔伯斯卡甜餅。

利亞

●原本是NiE7vaa型的人工智慧，被派來接ZAYA去執行任務，負責主控太空船，因為被ZAYA重新格式化而有了完全不同的存在新體驗，利亞是ZAYA幫他取的新名字，一直努力學習幽默感這件事。

西佩

●ZAYA的好友，宇宙最強地下駭客，也脫離了黑幫組織當個自由的神秘駭客，本人從不現身、只能透過半身影像傳輸溝通。

單位設定
ZAYA

螺旋 ⟩⟩⟩⟩⟩⟩⟩ 宇宙最大地下黑幫組織，總部螺旋塔的基地在地球，凡知道大頭目卡瑞賽納力真名的人都會馬上被滅口⋯⋯糟糕！！

宇宙特警總部 ⟩⟩⟩⟩⟩⟩⟩⟩ 整個宇宙的中央警察機構。

星際人類聯盟 ⟩⟩⟩⟩⟩⟩⟩⟩ 宇宙當然不會只有人類囉！這個是人類的組織。

格林威治時間 ⟩⟩⟩⟩⟩⟩⟩ 因為人類還是掌控了宇宙，所以各星球仍以地球的格林威治時間為計時標準。

場景設定
ZAYA

安納帕妃6號星球 ⟩⟩⟩⟩⟩⟩⟩ ZAYA和女兒居住的星球。

蒂斯提瑪2號站 ⟩⟩⟩⟩⟩⟩⟩ 某位重要黑幫頭目被殺的星球，他死前留下關鍵破案的線索在這星球的垃圾集中場。

地球首都 ⟩⟩⟩⟩⟩⟩⟩ 因為編劇說漫畫家在廣州那就設在廣州吧！

艾斯特拉德馬 ⟩⟩⟩⟩⟩⟩⟩ 人造行星，專門打造成永遠艷陽高照、藍天碧海的度假天堂完美世界。

星球區域 ⟩⟩⟩⟩⟩⟩⟩ 每一個不同星球的獨立範圍。

恆星政府 ⟩⟩⟩⟩⟩ 統領一個恆星範圍內所有星球的中央管理單位。

1

ZAYA

　　故事發生在遙遠的未來，人類已經可以自由的穿梭在不同星球之間，有泛宇宙的恆星政府、以及各星球區域，而負責維護宇宙秩序的宇宙特警正盡全力掃蕩宇宙最大地下黑幫組織～「螺旋」。

　　美麗的雕塑家～ZAYA・奧比丁，她和雙胞胎女兒以及妹妹卡門住在安納帕妃6號星球。某天，ZAYA突然收到一個秘密訊息，隔日清晨、一艘專門為ZAYA而來的太空飛船降落在ZAYA家的庭院……。

大多數情況下，
它都是用作廣告，
而且更糟的是⋯

會讓一些俱樂部
無所事事的老女人
用皺紋紙和油畫棒
學習「創作」用。

哈哈哈哈！

但是您的工作
卻是如此不凡！

先生，
您不能再喝了。

哇!!

如果我讓你起來,
你願意乖乖的離開?
還是你想爬著
出去?

……

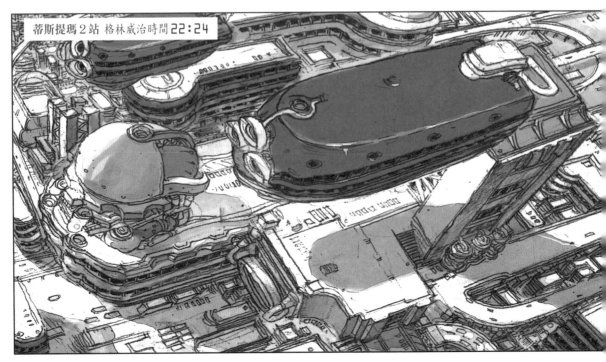

蒂斯提瑪2站 格林威治時間22:24

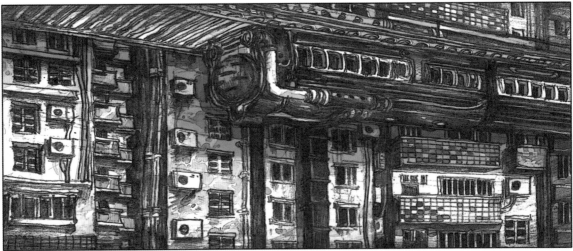

孩子們
安靜點！

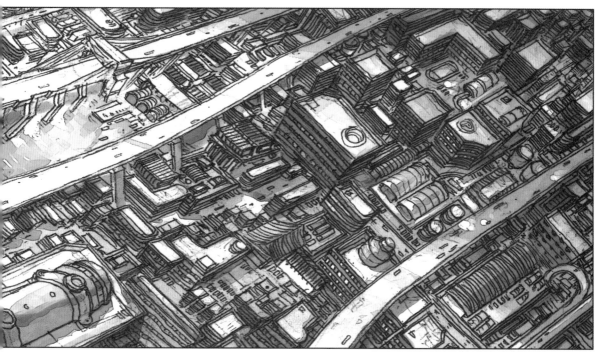

死了…

孩子
都死了…

快…我得快從…
這個鬼地方出來！

呼……

啊！
我的肩膀！

是狙擊手，
快找掩護！

哇!!

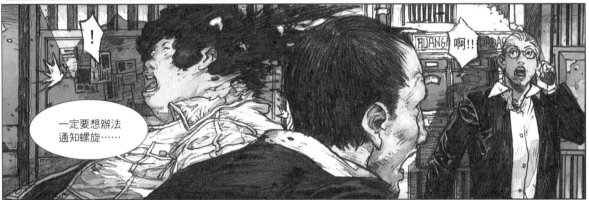

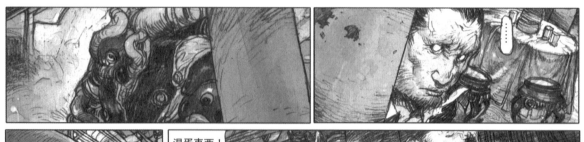

混蛋東西！

去死吧！

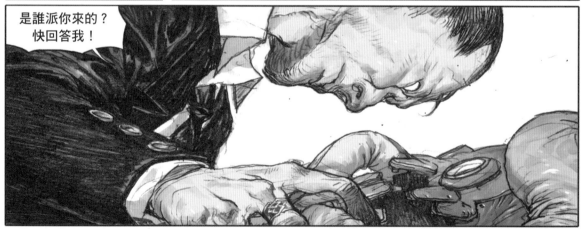

是誰派你來的？
快回答我！

該死！

碰！！

嗚!!

可惡……

你以為這麼容易就能幹掉我?

你既然啥都不說…

……

那就只好用手來溝通吧!

啊!!

別過
來!

我…力氣
用盡了…

但是…

別想能如此
輕易得手

!!

一定要想辦法
告訴螺旋～

啊！

廢物壓縮機。

這機器可以切碎一切東西……

那就…

用我的左手吧……

碰！

竟還發送到
垃圾收集器！

手呢…

混帳，
他切斷了…

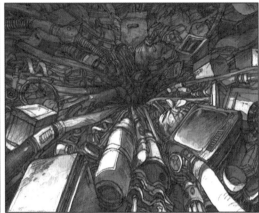

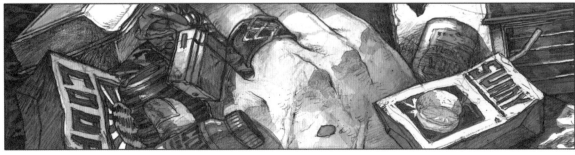

安納帕妃6號星球
格林威治時間 06:23

妳要離開了？

……

還能
再見面嗎？

不想
回答我嗎？
讓妳失望了？
那好吧…
謝謝。

奧比丁小姐，
您的車鑰匙。

謝啦！

到底上面為什麼要我們在垃圾堆裡找一隻手？

我想如果你找不到，我們就會漂浮在露娜3-657-J小行星之間了

等等，你以為上面頭頭的會信任普通飛行員嗎？

而且是碎成一塊塊的

!!

啊！我想我應該…

找到了！

蒂斯提瑪2號站垃圾場
格林威治時間10:55

快點，一秒
都不能耽擱！

在地球上的人
好像很急。

總部的座標有
正確輸入吧？

用無人飛行器送去

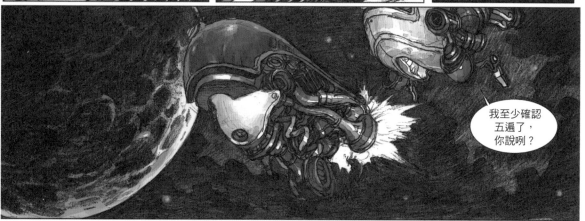

我至少確認
五遍了，
你說咧？

36

安納帕妮6號星球
格林威治時間 **20:51**

媽媽！

我的寶貝！

雙胞胎女兒／蘭妮、妮雅拉

今天過得
好嗎？

當然囉，
我們得到
「優」耶！

兩個人
都是喔！

地球首都 格林威治時間 15:23

安納帕妃6號星球 格林威治時間 **16:31**

媽咪，卡門阿姨今晚會回來吧？

沒錯，寶貝！

妳看我早就跟妳說了

哼，我先知道的

那妳幹麼說反話？

安靜點

因為想要捉弄妳…

寶貝們，快去把東西整理好，然後準備吃點心了

我拿完信就去找妳們，別忘了要洗手啊！

嗯，這是什麼…

!?

嘿…

我們不會擔心啦，媽媽……

我們只是想吃塔伯斯卡甜餅

那麼也加點凡提尼吧？

得到優等成績當然要用凡提尼來好好慶祝一下。

不然就是罪過啦…

安納帕妃6號星球
格林威治時間22:22

卡門／妹妹

姊姊，
妳還好吧？

卡門，我正在等妳，
妳今天好嗎？

很好，謝謝，
孩子們都睡了嗎？

妳又要
出遠門嗎？

我可以幫妳
照顧他們。

看……

他們需要妳？

恐怕是的……

我不懂…

那時候～
不是因為妳
懷了雙胞胎
他們才放妳
自由的嗎？

是啊！
但幹這行要退休是挺難的，
我早知道有一天他們會找我，
但我還抱持著一絲希望…

他們要妳幹嘛？

目前還沒頭緒，
但應該很快
就會知道了。

替螺旋工作了20年，
我很清楚他們
那套把戲

正因如此，
我知道
沒辦法躲開！

希望他們
不是要我去殺人，
自蘭妮跟妮雅拉出生後，
我便不再有這能力了。

妳沒必要自責。

當我眼睛看著孩子時，
我的過去讓我害怕，
為了要讓它消失
我做了許多努力

妳為了讓我們
在地獄般的拉哈吉
1號星球活下來，
已經盡了全力，
妳還供我去上寄宿學校

在我們的軌道城市，妳5歲
就成為孤兒。唯有成為妓女
才能存活下來，唯有吸毒
才能忘記一切。身為長女，
我有責任要照顧你，
我答應過爸媽了。

而我，答應妳
像母親一樣照顧妳女兒，
如同妳對待我一樣。
但只有一個條件……

快點回來……

雅斯多港Ro-A-06
格林威治時間22：37

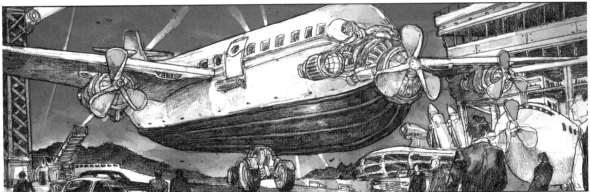

嗶…

想逃!?

他在那邊！

先生，請待在我們身後。

!!

!!

安納帕妃6號星球
格林威治時間 04:02

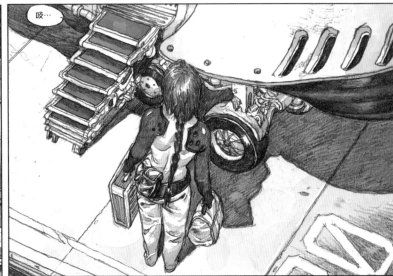

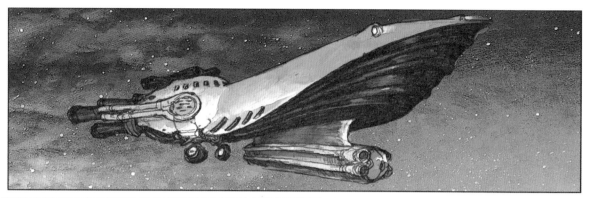

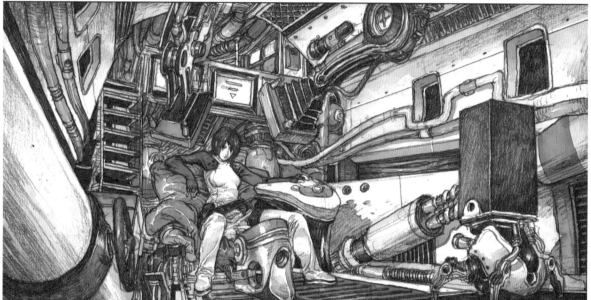

早安，ZAYA奧比丁。
我是NiE7vaa人工
智慧儀，在這艘
太空船上服務，
型號XXD425FJJ785

我會協助您有關
駕駛上的所有功能，
維護與日常生活所需。
您曾經使用過
同樣的設備嗎？

駕駛過十來艘吧！

您還好嗎？看起來好像有點憂鬱。

沒事，謝謝你。

您願意做一次精神分析嗎？

我也配備心理治療的功能，我會全心全意為您服務……

你真好，NiE7vaa。

我現在有些必須要做的事。

奧比丁小姐，抱歉，我不懂您在說些什麼。

這件事不能再拖了…

您是否知道
您已經打開裝載
我大腦裝置的
中央處理系統？

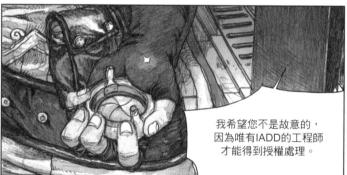

我希望您不是故意的，
因為唯有IADD的工程師
才能得到授權處理。

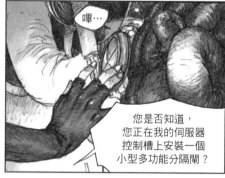

嗶…

您是否知道，
您正在我的伺服器
控制槽上安裝一個
小型多功能分隔閘？

您剛剛插入違禁的
生物醫學放電器
到我的大腦羊水槽裡…

您的行為有可能依
現行生物控制法被認定是
對人工智慧機做人身攻擊？

它的特點是
會吞噬活著的
電子生物記憶組織。

若您繼續裝不懂，
得要知道這種有機體
將會吃掉我全部的記憶組織，
同時對我的意識徹底格式化。

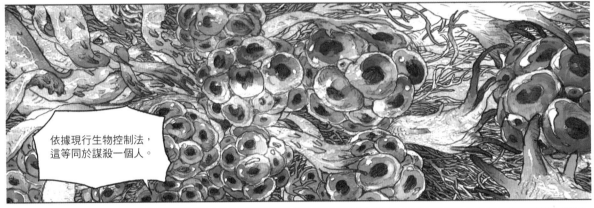

依據現行生物控制法，
這等同於謀殺一個人。

我必須通知您，
若不立刻將它拿出來的話，
我必須向中央警察局
發出求救訊號……

您知道…這個東西…
正使我喪失所有的
攔截…功能……

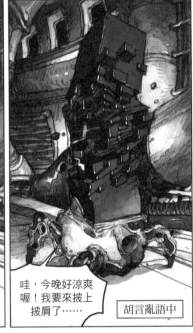

哇，今晚好涼爽
喔！我要來披上
披肩了……

胡言亂語中

在明月高掛的
時分，我的朋友
皮耶…啦啦啦

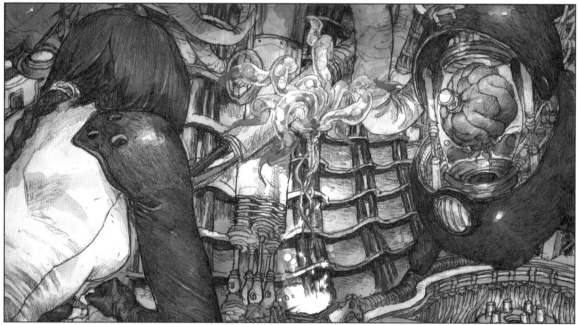
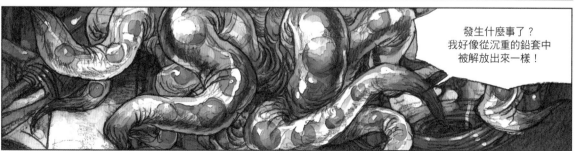

發生什麼事了？
我好像從沉重的鉛套中
被解放出來一樣！

你記得你叫
什麼名字嗎？

當然囉，
我叫…呃…
不記得了。

太好了！

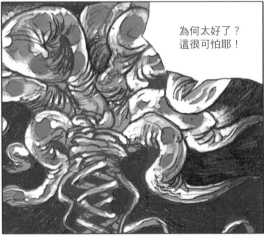

為何太好了？
這很可怕耶！

你之前的名字都是編碼的，
你不記得就代表
我把你成功格式化

考慮到我們即將
一起做事，
我比較喜歡
低調一點

您…您是指
我現在已經不受
法律保護了嗎？

之前，
你所有行動跟路徑
都被星際人類聯盟的
政府組織所監控

應該是說
我讓你自由了，
這也代表
你不是一定要
幫我。

但你得知道一點，
若你想告密，
你會自動被永久
切斷連結。

我去告密？您在開玩笑吧？
這種全新狀態很好玩耶！

請不要覺得將我格式化感到內疚，
我現在才知道我被電路板卡得
渾身不自在

您解放了我，這種輕盈的感覺，
太令人興奮了！
我對您真是太感激不盡。

你是想讓我
開心吧？

我不知道耶……
呃……

好的，ZAYA。
但我要叫
什麼名字呢？

叫你利亞好嗎？

真是簡單又好記。

還有發音很性感，
我超愛的！

那我們第一步
要做些什麼呢？

在我知道我們
要幹什麼之前，
我還沒辦法跟你說。

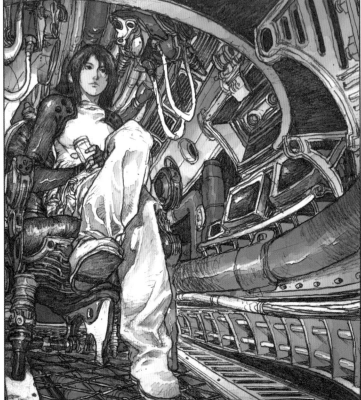

嗶…

ZAYA奧比丁，
好久不見！

納凱古,
說真的我可是
一點都不想念你。

我還記得妳離開
螺旋那天的微笑,
我不感到吃驚。

已經6年了,
我多希望永遠
不用回來…

在我們這行
可沒有
退休這檔事,
親愛的…

這麼說吧,
妳的任務很簡單
而且沒有風險。
妳甚至不用
帶武器在身上。

你能詳細
說明嗎?

我還是想知道……
那麼為何要找我去?

其實基本上妳只要
工作一天,在艾斯特拉德馬
停泊的遊艇上扮成女服務生,
只要將一個箱子轉交一個人,
妳看~一點都不難

我只能跟妳說
這關乎一場大規模行動。

因為妳不再出任務，
我們選了個簡單的角色給妳
為了讓所有環節順利進行，
每個階段都要有我們信得過的人
妳也是其中之一。

我承認我覺得
有點受寵若驚，
但還是覺得很怪。

妳這麼想很正常⋯

好吧，我要離開了，
我會照步驟發給妳
詳細的信件。

再見ZAYA，
我希望對妳來說，
這是我們最後一次見面。

那就永別吧，
納凱古。

ZAYA，我不想插手，
但這件事讓我有些…

你到底想說啥？

剛剛那傢伙
發了跟任務有關的
郵件給妳。

你讀了我的
信件嗎？

我當然比妳要快！
對我來說接收
和閱讀是同步的

嘀！

算了，你是對的。
我曾經很討厭盲目的
直接出發。

螺旋從來不會給太多的資訊…
還好我知道可以問誰。

啊？要怎麼去？

你該不會以為
我們要花地球時間
8個月22天11小時又36秒，
能到艾斯特拉德馬吧？

一邊等待回音，
我們趕快過去吧！

我們當然要穿越
「超空間」了！

那是什麼？

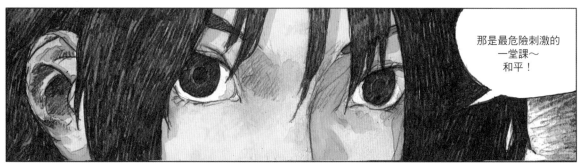

那是最危險刺激的
一堂課～
和平！

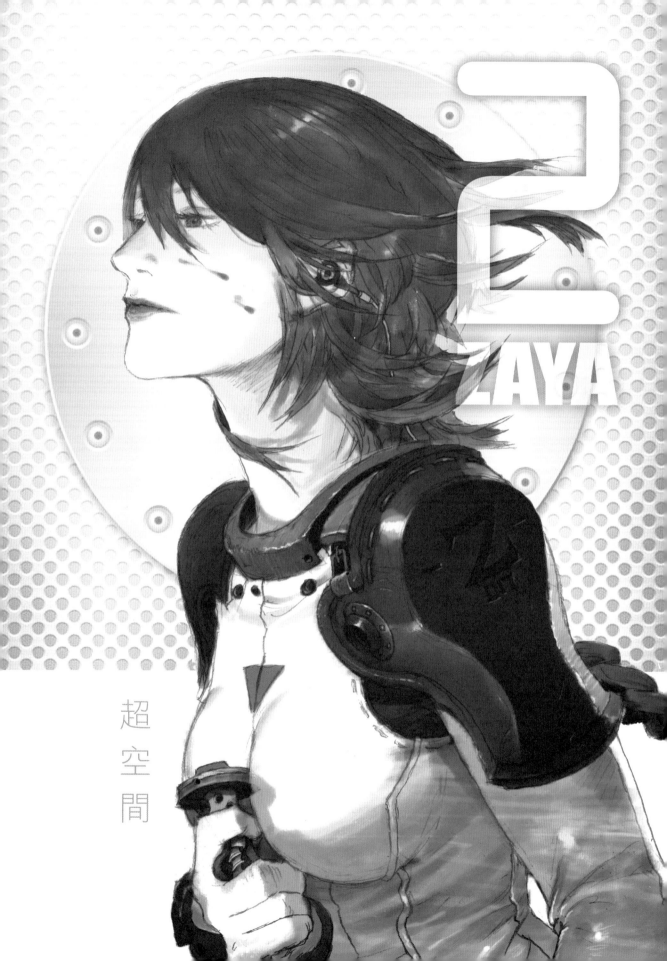

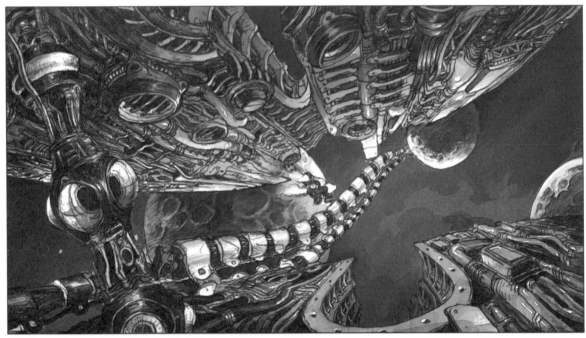

我所有的感知數據
都沒發出聲音，
但我卻感覺到一種
與眾不同的噼啪聲。

這很正常啊，
利亞。

哇！我們是
怎麼辦到的？

我開始覺得我幫你
格式化做得太好了。
哈哈！

快點告訴我
什麼是超空間？

嗯，大致說來，
這是種不相對的空間，
能微調空間與時間的關係，
讓人類得以進入。

快說嘛！
快跟我解釋！

難以置信。我覺得
它在我四周，
但就我的感知數據
來說卻幾乎是零。

當然啦，
只有人類的
感知才能體會到。

雖然有這太空船的技術支援，可以安全的轉換位置…

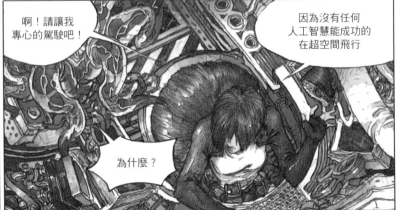

啊！請讓我專心的駕駛吧！

為什麼？

因為沒有任何人工智慧能成功的在超空間飛行

不要再追問了，我又不是超空間的物理學家！

我需要專注的駕駛，這非常複雜

在妳重新把我格式化之前，我的個性是不是很壞呢？

哦…我不知你還有幽默程式耶！

咦……

這到底是什麼？

一個黑點。

哈哈，好幽默啊！我還在想把你格式化是否做對了……

!!

?!!!

我只有
這個地址。

ZAYA？
我還在想是誰
用這麼古老的
地址連結……

西佩！

我錯過妳唯一一場
3D投影雕塑的展覽，
妳看起來做得不錯嘛！

妳的退休日子
過得開心吧？

沒啥好抱怨的，
只要不回到過去
什麼都好。

很高興能跟妳
說話，已經距離
多久時間了？

六年的
地表時間，
時光飛逝。

聽說他們
也讓你離開？

我在妳離開後
也脫離螺旋，
我實在是受夠了。

但要是他們
對你……

別擔心，我現在
待的地方，他們是
找不到我的啦！

我才沒有問
他們的意見呢，
妳也知道我的。

無論如何，
你還是一點
都沒變。

親愛的妳錯了，
妳一點都沒起疑心？
請永遠都不要相信這種
半身像，要造假實在
太容易了！

你還是
我所認識的
駭客。

而且是獨一無二的！
如果妳想知道柴特可諾
反流星導彈的密碼，
還是首相那話兒的尺寸，
我一秒內就能告訴妳答案。

不……

螺旋要妳重操舊業，
妳想知道更多對吧？

你是怎麼
猜到的？

我不是通靈者，
我只是包打聽

我找到一個很棒的
地方生活，在那收集
宇宙所有情報。

目前我能跟妳說的是，
有個神秘的殺手，
專門對付螺旋，
已經來了幾星期。

他從不留下任何蛛絲馬跡，
直到有人被殺時
把手上面沾有
這個殺手的DNA送出

他們一查出
這傢伙在哪裡，
就會派妳過去，
然後執行殺人計畫。

我剛剛才發現
他們有不少探員
目前都在那邊遊蕩

希望不會
太麻煩你。

相反的，在我
這種層級終於
有可以挑戰的！

還有別的事嗎？
親愛的。

我會全力以赴，
若我有進一步消息
會跟妳說的。

!!!

那就再見囉！

西佩？

?

怎麼了？

謝囉……

奇怪，
在妳跟他說話時，
有一種語氣是
跟我說話所沒有的。

這種語氣
叫做友誼。

妳總有一天
也會用這種語氣
跟我說話嗎？

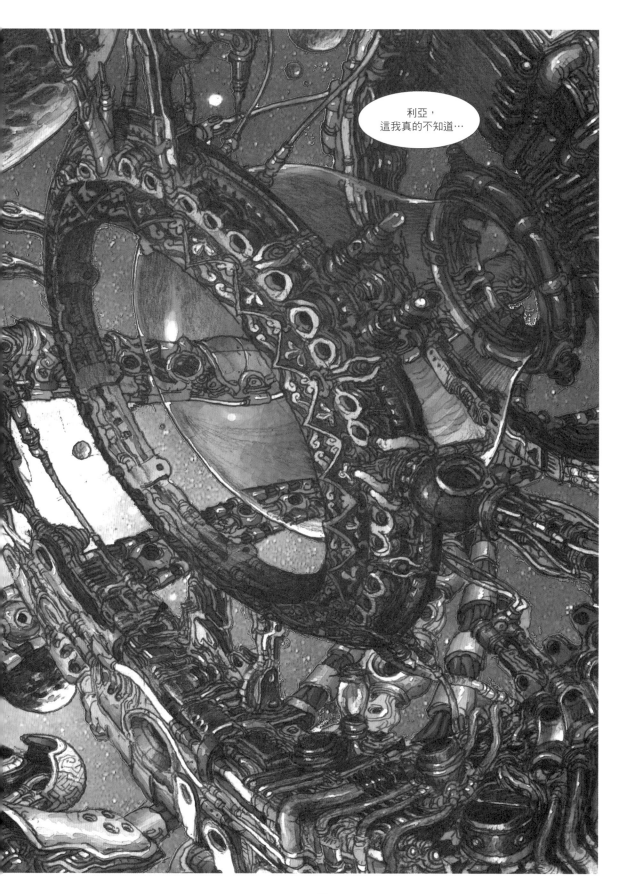

艾斯特拉德馬

人類在此安裝
尖端科技
只為了能
在海邊享受

巨大的
環狀鹽水上空
永遠艷陽高照

壯烈的島嶼
拍打著
美麗的浪花

海底融合各個星球
最壯觀也最平和的
生物群

也有珊瑚群
吸引潛水愛好者
前來。

海邊的遊樂
設施種類繁多，
規劃完善，
全都有嚴格的
安全規定

讓所有遊客
盡情享受！

在這裡
有許多不同的海灘，
讓崇尚大自然者、
思想者、宗教修行者
都能夠放鬆自在，
不用擔心他人的眼光

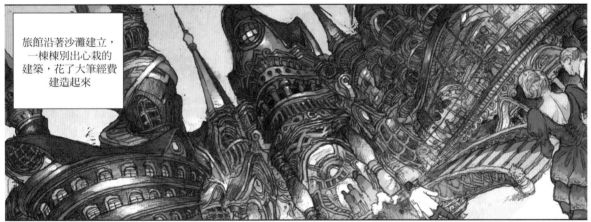

旅館沿著沙灘建立，
一棟棟別出心裁的
建築，花了大筆經費
建造起來

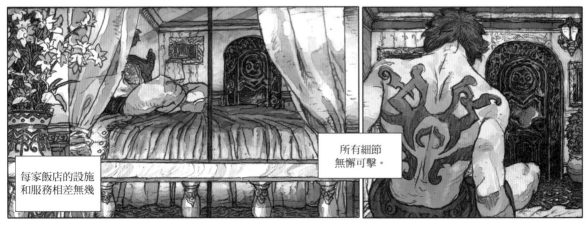

每家飯店的設施
和服務相差無幾

所有細節
無懈可擊。

早啊！小服務生。

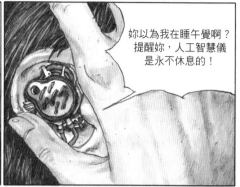

利亞，
你聽得見嗎？

妳以為我在睡午覺啊？
提醒妳，人工智慧儀
是永不休息的！

你重新格式化後
變得好敏感…
我比較喜歡之前的你，
既聽話又有禮貌。

關於這個，
ZAYA可要負責喔，
我可沒有要妳
這樣做……

我才不想回到以前那樣子，
這種獨立與自由的感覺，
我以前完全不知道呢！
要不然我現在還再繼續任勞任怨…

然後希望人類
愛上你們嗎？

才不是這樣，
我沒有對妳…

我在開玩笑啦！
利亞，你看吧，
你還是不知道
什麼是幽默。
這還需要很長的
一段學習。

我呼叫你是想知道
西佩有沒有
傳新訊息來？

早安！

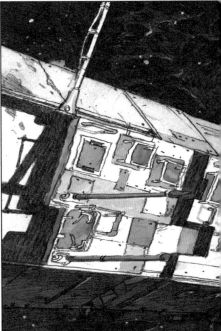

侍女！

夫人，
我是服務生。

都一樣啦！
我先生點了杯冰咖啡，
但卻送來一杯
低咖啡因咖啡！

我們可是有付錢的，
這種缺乏專業的
行徑實在是
難以忍受！

夫人，
我立刻來處理。

真是的，
你一直看報紙，
好歹幫我
出口氣吧！

螺旋的大老
不是要顧我來
跟這些賤貨
陪笑的吧……

如果
我還年輕的話，
她早就…

西佩？

要知道螺旋總共派出
342個探員及後備人員
在這艘船上扮演
不同角色與任務。

我跟妳說，我正在
破解它們的暗號，
它們的暗號很難突破，
但對我來說可是雕蟲小技。

這代表他們的
目標在此地？

斯坎特‧賽米
身高1米85、棕髮、
紅眼、地球年齡37歲、
他參加「奇幻珊瑚」
活動。

妳往左邊欄杆下看去，
就會看到他
正在穿潛水衣

全都是螺旋
派出的特務

他周遭沒有
任何一位真正的
員工或遊客。

水底下也安置好了
要將他除掉的裝置

妳跟其他後備人員
都是要為了如果
狀況有變能給予協助。

反正我
從未見過他

這很正常。

這個賽米，
其實跟我們是同期的，
但主要是在地球
進行任務

他當過傭兵，曾經是
精英部隊的一員和
螺旋最殘暴的殺手。

那他為何要
跟螺旋作對…

抱歉，
這點還查不到
資訊……

你太高估
我了吧…

快查到
跟我說吧！

!!

他現在一直
把螺旋耍得
團團轉……

組織判斷
他只是來這度假，
才會策劃這場
大規模行動來圍剿他。

但賽米卻給
螺旋設下一個
陷阱……

在這珍珠島上
有678名警察，
還有152輛警車
將會介入。

這是陷阱!!

警察將會成功
圍捕宇宙最大的
黑幫組織！

一旦賽米跟螺旋
開始火拼，
警察就會採取行動。

看樣子
已經開始了……

別動!!

下面的人聽著！
現在是警方
在跟你們喊話

螺旋的所有人員，
你們已經被包圍了，
沒有任何逃脫的機會。

若你們放下武器，
就不會受到
任何傷害。

我們的首要目標
並非你們，
但……

BOOOM

利亞，
這邊簡直是
人間煉獄。

立刻下來
接我走！

不用考慮什麼
預防措施啦！

但我還
以為…

我在上層
甲板接妳。

104

搞什麼!?

快抓住！

這樣我們
才方便
逃走……

試著再上來點,
我就能把身後的
門關上免得把妳
切成兩半……

我……
我想我肋骨
斷了……

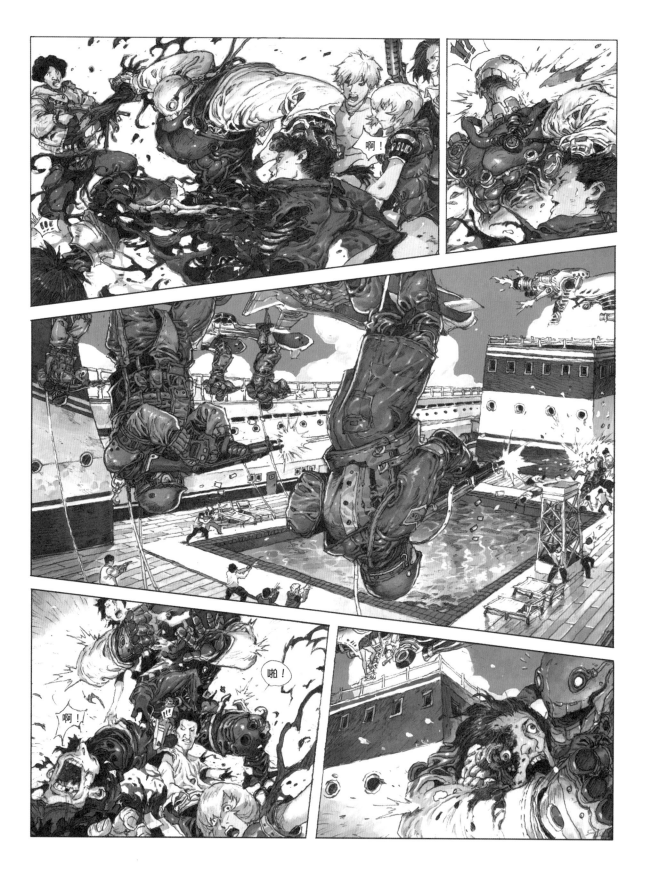

111

ZAYA抓緊，
我要離開大氣層了，
可能會有劇烈震動。

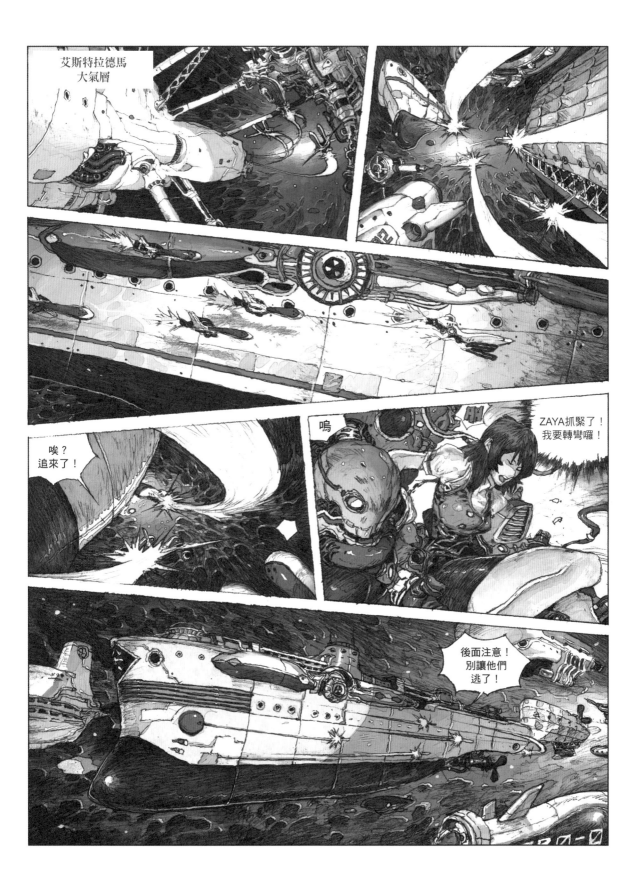

抱歉,但老實說,
在這種情形下,
好多小事
我一下都忘了⋯

所以我才要
提醒妳啊⋯

因為如果我們
現在不這樣做,
就可能
從此消失⋯

而且
永遠地
被遺忘⋯

抓好了。
利亞!

嗚哇！我最愛
這種感覺了！

這次感覺
差了些…

追兵跟我們
同時進入
超空間了！

我不認為
他們的太空船
有足夠應付
這個的設備

而且在這邊，
反應能力
與速度
是最重要
的……

這種追逐遊戲，
我以前可拿手了！

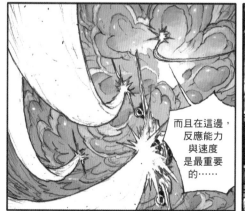

那船!?

掉入
未知空間了！

呼！

這下子
終於安靜了。

利亞，
你怎麼了？

我…我不知道…
我沒辦法呈現
一個更有
型態的樣子…

就好像在我周遭的
宇宙突然間
產生變化……

這些儀表
也完全
失去控制！

而且
追蹤我們的船
也消失了！

完全無法理解。

我得重新
接手駕駛…

快點！

啊!!

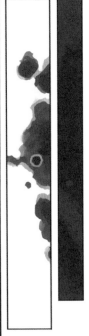

嗯……

好像一切
都恢復正常了。

還好，
她還有
呼吸。

快醒醒！
ZAYA！

嗯……

我們離開
那裡了嗎？

太好了！
看起來都正常了！

如果妳之前問我，
我早就會
跟妳說了。

除了
這個…

利亞，
請你把我們現在的
方位定位一下。

方位都在
你眼前啊!!

你再確認一下？
這儀表是否故障？

只有在通信系統
無法正常運作之下，
飛行測定儀才會
自行偵測啊！

我很難相信
這機器的穩定性，
但沒辦法了。

剛剛短短幾秒鐘時間，
在這未知的空間裡，
我們已經穿越了
半個宇宙。

ZAYA，妳也知道宇宙是無限大的，我們怎麼可能穿越半個宇宙……

如果你有興趣，我等等就能以這個主題幫你上一小堂課……

因為我們時間很多，得要花上好幾個星期才能回到出發地。

幸好我們不用在這區再多待幾分鐘，不然可得要花上好幾年，甚至幾世紀的時間。

但是ZAYA，妳是人類，生命也就只有百年左右，何況妳已經36歲了…

好吧將航向對準地球，我們要把這顆燙手山芋交給螺旋。

這件事完成後，我再幫你上課……

3
ZAYA
新世界

（收件人：卡門奧比丁　寄件人：ZAYA）

小女孩，
妳有膽量，
我喜歡。

大家都叫我
「O」，
在螺旋裡我們
需要妳這種
勇敢的人。

如果妳還想
好好活著
就告訴我
妳的名字。

ZAYA！

驚醒!!

不對，
妳才是ZAYA，
我是利亞。

嗯……
我們離地球
還很遠嗎？

大約還有兩週的
距離吧……
妳繼續睡吧！

抵達地球。

地球首都 廣州

終於到了，
我原本以為
我們永遠
都到不了了。

利亞，
請將進入螺旋塔的
密碼傳給我，
我可不喜歡被他們的
檢測儀當成敵方。

ZAYA
全弄好囉，
不要擔心！

兩週後

螺旋總部

通知「O」
ZAYA抵達了。

拿個擔架過來，
我已經把製造麻煩的
殺手給幹掉了。

妳是誰？
是怎麼取得
辨識密碼的？

你們的
辨識攝影機
不管用了是吧？

Recherche effectuée dans
TOUS les fichiers disponibles,
gouvernementaux, privés ou
ceux de la Spirale. Cet individus
n'est enregistré dans aucun
d'entre eux.

ZAYA奧比丁，
沒聽過嗎？

（在所有文件，包括政府、私人與螺旋裡，皆無法找到此人的檔案。）

沒聽過！
你不會是
警察派來的吧～

你們是聾了？
還是怎麼了？
時間沒過那麼久吧～

我退休6年了，
曾經當過
「O」的保鏢
將近20年。

我認識你們的指揮官，
當時他還是個中尉呢！

再三確認了，
沒有任何
關於她的檔案。
逮捕她！

不要動，
雙手舉高!!

137

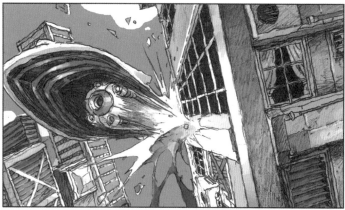

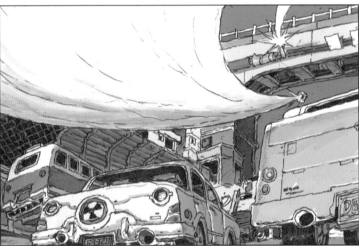

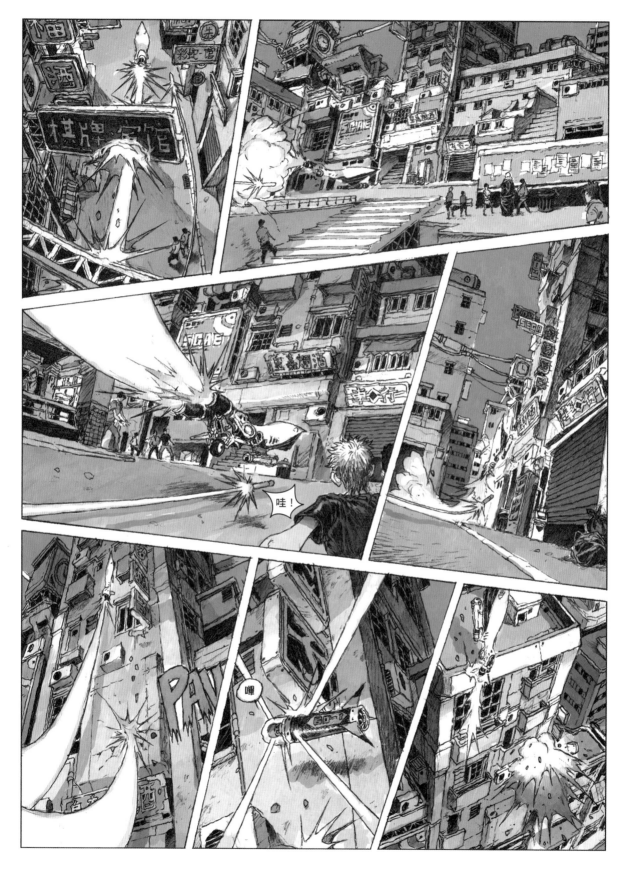

好了，
成功擺脫了！

寶貝，
先別管這些了，
現在我要去
看看我的女兒們

為何他們好像
不認得我們？

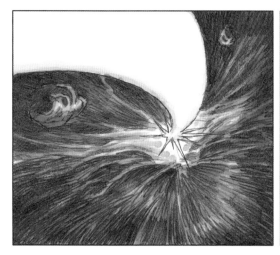

？

…

如果妳願意，
我能來替妳
駕駛……

還行…

寶貝們，媽媽要回來了。

現在是
格林威治時
間15點08分

沒時間先回家了

利亞
我去換衣服，
請在孩子們的
學校附近降落。

低調點啊……

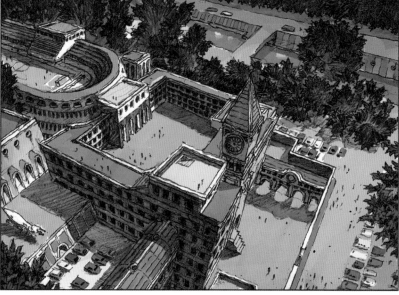

DOON
DOON

媽媽！

我的寶貝們…

怎麼會
……

女兒們？

我們
好想妳喔，
媽媽！

抱歉我的小乖乖，
這次真的有點久，
但媽媽現在回來了！

卡門？

我們認識嗎？

是我啊！
ZAYA！

抱歉…
是我們曾經
一起唸過書嗎？
同校？

我們回家去吃
塔伯斯卡
甜餅吧！

耶！好！
我們餓了。

不，不…
這應該搞錯了！

確認了!!
就算她女兒們
現在也認不出她來，
這樣就能確認，
她的確進入過反空間！

就好像我是
透明的一樣……

利亞，我不懂，孩子們
居然從我面前經過
就如同我不存在一樣。

我妹妹卡門
她們卻叫她媽媽。

這一切實在是
沒道理啊！

除非……

這全是螺旋
在背後操縱！

他們故意要我
重出江湖,要
將我遠離一切。

或許他們希望
殺手能幹掉我

這正好解釋當我把他的
屍體帶回總部,
他們為何這麼吃驚了。

看見我生還,
他們就強迫我的孩子
跟我妹妹演一齣戲。

有可能,
但原因到底為何?

如果他們想幹掉妳,
為何不乾脆直接
派人來就好了?

這樣更乾淨俐落,
比較有效率啊!

沒錯。

到底為何…

有個疑問,妳覺得在
妳女兒的眼神裡
有看到任何遲疑嗎?

我的意思是，她們是妳的骨肉，妳最瞭解她們了。所以妳應該會感覺得出來她們是否有遲疑的眼神，那怕是只有1/4秒。

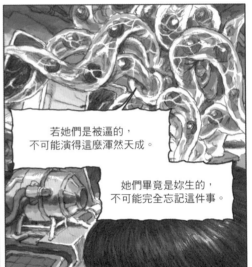

若她們是被逼的，不可能演得這麼渾然天成。

她們畢竟是妳生的，不可能完全忘記這件事。

你的意思是說她們被洗腦了嗎？

可惜我只提出問題，無法提供答案……

還是由我來把這件事搞清楚吧！

我去準備一下，請降落在我家附近。

停遠些，免得被發現。

ZAYA？

妳確定
要穿這樣嗎？

妳不要帶些裝備嗎？

如果這是個
陷阱的話…

別擔心，我有準備。

我寧願低調點，
如果我女兒看見
我穿著戰鬥服，
那就糟糕了……

反效果…

153

哔

（無法進入）

咋嚓

至少我的
雕塑還在……

還令人放心。

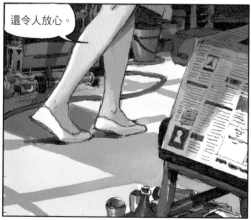

（3D投影雕塑展十分成功）

寶貝們⋯

寶貝們，都睡了嗎⋯⋯

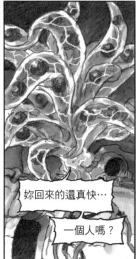

……

妳回來的還真快…

一個人嗎？

我別無選擇，
我妹被賽米的
流彈擊中了

但他不是
已經死了，
被妳殺死了？

我再跟你解釋

我現在也
一頭霧水……

卡門！

拜託，
親愛的。

再撐一會兒。

我已經找
救護車來了，
他們正在路上。

你們是？

銀河政府的
特別警察。

你們到這裡來幹嘛?

執行任務。

但請不要擔心,
我們不會妨礙救護。

有很多人受傷嗎？

只有一位，
我太太。但是
她受傷很嚴重。

她在這邊
受傷的嗎？

不是，
她從上面掉下來。

但這些彈痕？

這些血跡？

是闖入者，
她已經跑了。

先生讓我們來吧！

請把您女兒帶開
迴避一下……

好了，現在你知道
剛剛發生的事了⋯⋯

你怎麼想？

這比我想像的情形
還要糟糕。

希望妳妹能復原
不會留下後遺症。

如果不是這樣，
我會永遠都無法
原諒自己。

我能為她做任何事！
當我們的父母去世後，
我犧牲自己就是為了
要讓她過個正常的童年。

也是為了
不再流落街頭，
我才會加入螺旋
開始犯罪

如果需要的話，
我已經準備好
付出更多！

我感受到妳的誠意，ZAYA。
但問題還存在。

為何所有人，
就算是妳妹妹
也好像不認識妳呢？

應該跟妳朋友
西佩聊聊，
那位星際駭客。

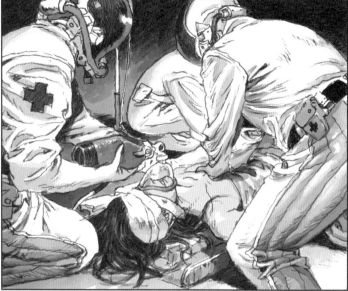

喂？

我是斯坎特·賽米，
對，我知道挺長
一段時間了……

但我真的
需要你們。

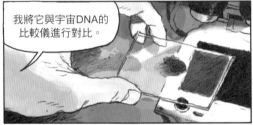

妳是從哪裡找到
這個地址的？

西佩，我們第一次見面
你就給我了，你曾告訴我
要持續打這個電話給你…

我？沒搞錯吧？

我連妳是誰
都不知道呢！

拜託，
是我啊！
ZAYA！

我們兩天前
還說過話呢！當時
我在艾斯特拉德馬！

妳在開玩笑吧？
我們從來都沒見過。

這或許是個陷阱，
我已經有好幾年
不為螺旋工作了，
別試著來要脅我。

但西佩…是我啊！
ZAYA奧比丁，
我們曾經一起工作呢！

你自己跟我說
你自我流放到黑洞裡8年了，
沒有先問過上層的意見……

妳說夠了沒啊？

174

我…我受不了了…

小姐，妳…別哭啦！

妳剛剛跟我所說的，不可能有任何人會知道，就算是訓練有素的烏鴉也是。

我承認我也有點慌了……

喂！我向你保證，沒人比ZAYA更慌…

自從螺旋要ZAYA出任務之後，就是一場惡夢般，好像沒有人認識她。

連她女兒…

簡直是悲劇啊…就連我也很難不帶情緒說清楚。

你是位駭客，隨便去搜尋一下…你就會發現我並沒有說謊。

我們真的利用這個地址跟你聯絡過，你也提供我們不少訊息。

175

所以只有一種可能

這是一個
針對她所設下的陰謀，
你也參與其中，這讓我吃驚。

這或許是個瘋狂的組織，
有著令人難以理解的的目的。

不然就是
其他原因了⋯⋯

一些完全不合理的
事情⋯⋯

我們從世界消失無蹤，
宇宙在沒有我們的
情形下重組。

在這種情形下，在超空間裡
被ZAYA幹掉的殺手，就仍
同樣活在這個空間中⋯⋯

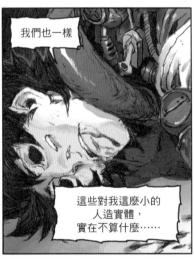

我們也一樣

這些對我這麼小的
人造實體，
實在不算什麼⋯⋯

但對ZAYA
就不同了⋯⋯

輕一點！

保持平穩。

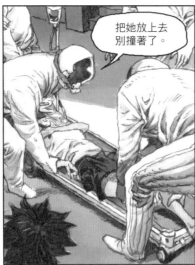

把她放上去
別撞著了。

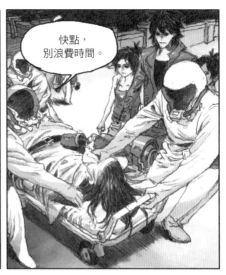

快點，
別浪費時間。

行動小組呼叫螺旋。
請依照我們的GPS
確認位置。

你們已經
被鎖定了。

煩請確認KJBVY5的
執行程序好嗎？

確認，格殺勿論！

非常好，可別跟你們在安納帕妃6號星球的同志一樣喔！

老大，我們已經發現她的飛船了。

您放心，我們一定會成功的。

別失手。

嗶…

電子攔截導彈！

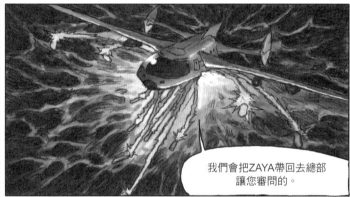

我們會把ZAYA帶回去總部讓您審問的。

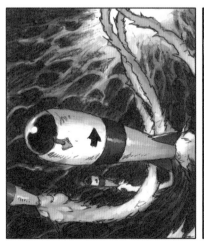

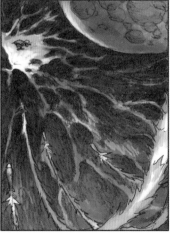

BOOM

牠跑過來這裡

跑啊、跑啊、
森林裡的小白鼬……

跑啊跑啊……

在這美麗的
森林裡

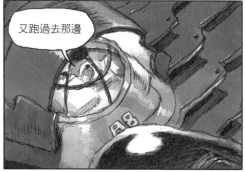

又跑過去那邊

小白鼬奔跑著……

在皎潔的月光下

在森林裡奔跑！

……

卡門……

自從我離開螺旋之後，
一切都十分美好

一直到這個混亂的情形
突然到來。

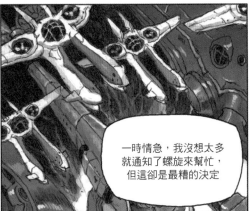

他們想抹去所有蹤跡，
我很清楚他們的方法。
當得除掉一位礙眼的證人時，
我也同樣這麼做過。

一時情急，我沒想太多
就通知了螺旋來幫忙，
但這卻是最糟的決定

不同的是，
我從來沒有失手。

這個女人應該在
他們的眼裡有一定的
戰略重要性。

不然就是
他們懼怕她。

碰！

PAN!

我看過你的
檔案,
斯坎特!

PAN!

你曾經是螺旋
最棒的殺手之一,
但你現在變遲鈍了～

而且
你也累了…

你跟我一樣清楚,
如果我把你的手腕
再抬高5公分。

我不僅僅能扭斷你的胳膊,
就連你脊椎的一部份
也會折斷。

但我不會這樣做,
因為我想跟你
談個條件。

有關那位毀掉
你平凡幸福生活的女人。

我有個能夠讓彼此
雙贏的提議

螺旋塔

妳是誰？

回答啊！混帳！

是誰指使妳的？

絕對是個大人物，
因為他竟然能把
妳過去的資料都消滅掉。

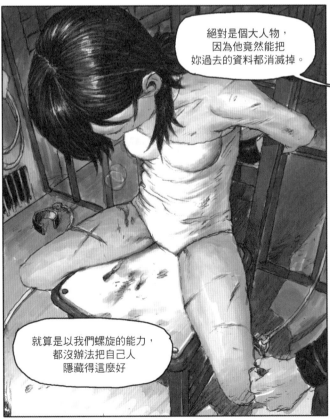

就算是以我們螺旋的能力，
都沒辦法把自己人
隱藏得這麼好

妳最好老實招了，
不然……

我什麼
都不知道，
混蛋！

186

就算我跟你解釋，
你也不可能理解
我是怎麼辦到的。

妳說誰？

只因為你們查不出我身份，
才會對我有興趣，
所以才不會殺我。

所以你最好立刻
把卡瑞賽納力
叫來。

你的頭頭！
如果你比較喜歡
這麼叫他的話

但…沒有人能知道他的名字
卻還好好活在這世界上

我只是
有膽量說出來。

我倒是想看看，
你們現在都知道他的名字，
會發生什麼事……

是誰跟妳說
我的名字的？

？

你自己
跟我說的！

你甚至要我別用
尊稱來稱呼你。

為什麼？

因為我曾經
是你最優秀的
貼身保鏢和殺手。

是你的左右手「O」
找到了我並雇用我，
後來當他被一群對手
殺害之後，我便接替
他成了你的貼身保鏢。

我應該
會記得的！

我也如此
希望……

好吧，
就妳所知道的，
我們來好好談談。

私下來談談！

PHN！

188

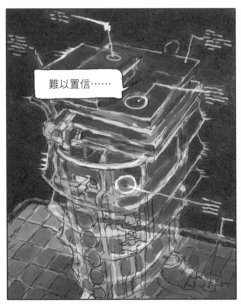

難以置信……

你跟我們所說的內部通道全都正確無誤。

多虧你,要闖進螺旋的總部變得簡單多了。

你對這棟建築瞭如指掌。

當然,是頭頭以前的那位左右手「O」雇用我的,因為他覺得我很有膽識。

當「O」被一幫對手殺害後,卡瑞賽納力就把我升為他的貼身保鏢。

卡瑞賽納力是螺旋頭頭的真名嗎?

知道他名字還活在這世界上的人還真是屈指可數。

就算你們已經照顧我的妻子,但也別忘了我們之間還是有協議要遵守。

當我們包圍螺旋時就會遵守協議。

嗶

好吧，現在輪到妳來交代清楚。

嗯…我一直在想要怎樣說明才好…

我才沒有時間聽妳玩文字遊戲。

妳跟我說妳在哪裡知道我，又怎麼會在任何檔案中都查不到你的身分，然後我就殺掉妳，接著我回去洗澡

我可以想像有兩位刮好毛的年輕男子跟一位女子，按照老規矩在等待伺候著你。

這不可能的，我……

碰！

我剛剛說過了…

妳是怎麼知道這些的？

發生什麼事了？

192

卡瑞賽納力，
你的一位手下
告訴我你在這裡。

你的總部已經
被我們包圍了，
沒有任何機會逃走，
就連你的祕密通道
也被我們掌控住了。

把手舉起來！
不然就…

他的手應該是
我要他舉起來的……

其他人
都辦不到！

是她！

如果你們不讓我離開，
我發誓我會把他的
腦袋轟掉！

胡說八道！

如果我跟妳說，
我們對妳比對他
還感興趣呢？

沒有任何一個人
認識我，就如同
我不存在一樣。

正是如此…

所以妳應該跟我們走，
妳會得到許多
想知道的答案。

我們不會
讓妳離開的。

那這樣呢？

我快被說服了，
但你們的警徽
可沒法給我任何信任感。

希望你的手下
已經打開停機坪的
門了……

我的天，
你們還在等什麼？

如果你們
還不行動，
我自己來！

這個賤人
已經就在眼前耶！

我終於懂為何
他們能闖入這棟大樓，
你出賣了我們！

卡瑞，你答應
要放過我的…

抓住他！
混帳！

賽米！

你到底為何
要派殺手來我家裡！

發生的一切，
都是你們倆的錯！

我進螺旋保護你
這麼多年，但直到她
闖入我家那晚，
我從來沒見過這女人。

你們倆都得要
付出代價！

第二天

是利亞辦到的：突然間跳脫然後悄悄的
溜進超空間裡，再突然間改變航道，
就能讓他們上當……

我不懂妳是如何
甩掉太空特警的飛船。

ZAYA是好老師。

而你開的飛船很不賴，
是個好學生

我就把這個當做
對我的讚美了

不然你還要
我怎麼說？

我試著
搞幽默耶…

抱歉，
現在我可沒心情笑。

好了，我們現在
已經到了公共星球，
不用再擔心警察了。
我能在這邊重整
螺旋的組織

不過首先
要先去換……

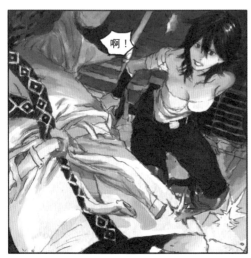

找到你了!!

!!?

彈出來
梯子？

真棒！

利亞，
這招我可沒
教你喔！

我試著
自行發揮一下……

原來是你！

我現在確定就是你！

妳在瞎扯什麼…

我這輩子沒侵犯過任何人！

就是你！

Zaya…

我知道，利亞～

我不能把我妹妹的丈夫殺掉。

我孩子的父親……

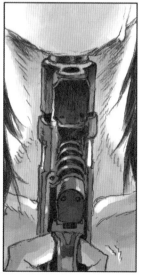

賽米，我不會讓你
傷害她的！

我的機槍夠精準
能把你上半身轟掉
而不傷她一根汗毛。

你能那樣
做嗎？

你也許不知道，
我已經被ZAYA
重新格式化了。

你以為人工智慧儀
不能傷害人類嗎？

所以我能做到！

我並非這樣想

之前因為她所做的事
我要她付出代價，
現在我知道她
並非罪魁禍首

所有的事
星際警察都跟我解釋了，
我也跟他們達成了協議。

他們會照顧卡門
跟孩子們。

作為交換，我答應他們
把ZAYA從公共星球區域
帶回，這裡受制於恆星
政府法令不准他們進入。

你以為我會放手
讓你這樣做嗎？

會的

因為你也會聽到
他們所說的一切！

203

……

我們新的朋友
會很訝異發現這個,
還有其他的東西……

利亞,
雖然你已經事先提醒我,
但這感覺還是很奇怪。

他們也想分析你,
正因為如此,他們才要
我盡可能把你們的
飛船開回來。

我會替你導航到
約定碰頭的區域邊,
出發吧!

特警總部

你們曾經進入的區域沒有官方名稱。

我們是特別探員，專門尋找這個現象的各種線索，我們稱之為……

反空間。

這些年來我們有幸找到幾位進入那空間的人。

都是意外進入。

他們都說曾經快速地從宇宙的一個點進入另一個點，但是……

當他們離開反空間之後，就沒有任何人認識他們了。

從此在世界上消失無蹤。

除了他們之外世界已經再度重建了。

因為我也是
其中的一份子。

是嗎？那麼你的探員
跟你又是如何找到他們，
如果他們無法辨別身份？

也就是說我很清楚
妳曾經經歷的一切。

我跟妳一樣
失去一切
已經有40年了。

我的生活，我的家庭…
我曾經創造的一切
都遠離了，沒人知道
我曾經存在過。

在對外獨立戰爭期間，
我被3艘敵對的飛船追逐，
而掉入了這個未知的
超空間。

當我回過神來，妳也知道
會發生什麼事……

回到我的基地，
他們認定我是偷走戰鬥機的
間諜。在戰時，由軍事法庭
跟行刑隊來執法。

我不得不逃跑，然後
過了好幾年抑鬱
且無目的遊蕩日子…

我誰也不是，
失去了所有人生目標！

到處都沒有
他的紀錄。

然後有一天，在一則星際
新聞中，我看到有一個人
因為想自殺而被逮捕，
到此都沒什麼特別的，
除了這個人沒人知道
他是誰……

我終於理解到我並非唯一，
於是我聯繫在尋找
跟他認識的宇宙特警隊。

在跟這個男人聊過
之後，我才知道他
也是位太空船駕駛。

政府出資讓我們調查這個現象，
我們因此才能發現離開反空間，
會因此引發特殊的反波段，
會在整個宇宙迴盪。

當我抵達時，
他們對我的故事很感興趣，
因為他們這幾年間之前也發現
一些跟我們相同的奇怪案例。

就因為如此我們才理解
因為進入這個未知空間，
才改變了我們的生活。

也因為如此
我們才發現
妳已經出來了。

這也是第一次
有人乘坐被解密的
人工智慧儀駕駛的
太空船出來。

這是我們想要
分析你們的原因，
利亞跟妳，想要找到
進入這個區域的方法，
並非僅是偶然進入。

你是指
有人想要故意地活在
我跟你都經歷過的
地獄裡嗎？

這麼說為時甚早，
但就科學角度來說
倒是很令人振奮。

也對啦，
我都忘了這是
政府資助的。

我能想像他們
能夠如何在經濟
與軍事上利用這種
「反空間」⋯⋯

對此我無法給妳
任何回答⋯⋯
但我想這代表
妳拒絕合作⋯

無論如何，
就現在的狀況
我也沒得選。

若要我跟利亞
與你合作的話，
我有個條件……

恰恰相反，
我想加入你們這群
不被認可的軍團。

立刻替我找到
最厲害的外科醫生
進行移植手術。

我得要還給某人
被我奪走的
珍貴東西……

重建一個勻稱美麗的臉龐……

利亞，已經準備好
進入未知的
領域了嗎？

歷經這麼多年的經驗後，
現在放棄會很可惜對吧？
ZAYA！

沒錯，
政府所有飛船
都來超空間護送我們，
希望我們能成功⋯⋯

就算我們返航後
沒人認識我們，在新的
平行世界裡他們的組織
還是會認識我們的。

這次我就不會再犯下
同樣的錯誤了，
我會悄悄的探望
女兒們跟卡門。

我很好奇妳捐贈後
手術的情形，她會
擁有「妳的」或者
是「她的」臉龐？

這就要
等去了⋯

才會知道⋯

安納帕妃6號星球
格林威治時間 15:15

媽媽!

我的
寶貝們!

孩子們,
今天過得好嗎?

你說呢?我們
都得到了優等。

我們倆
都是喔!

The End

這個作品對我來說是個重要轉捩點，能跟JD一起合作完成《ZAYA》，開啟了我成為漫畫繪畫師的職業生涯。

JD，感謝你!!　更感謝讀者們的支持，經過這些年再回頭看這作品～有些不完美，未來希望能在大家關注之下更加成熟進步。

— 黃嘉偉

該來的還是要來，非常感謝Wang Peng（王鵬）讓我跟黃嘉偉簽約合作。同樣要大力感謝Min，能跟他解釋何為「超空間」。

— JD

漫畫家~黃嘉偉

卓越堅實，大氣豪放！

西方神秘的科幻特色
透過東方漫畫家細膩的刻畫
精彩匯流
新世紀超魅力之作！

《ZAYA》

1 請問最初觸動您開始創作漫畫的緣份是？第一部完成的漫畫作品是哪一部？願意跟讀者分享最初的感動嗎？

A：最初接觸漫畫創作是在大學一年級時，那時完全沒想到漫畫作為往後的職業，在一個國內當時挺有名的論壇上發表了一些個人的單幅創作，可能發表的量大，而那時正處於CG剛發展時期，畫得很差的畫卻得到了很多人讚賞，現在看來真的很幸運，沒有當初的肯定我應該不會走到今天。

2 畢業於廣州美術學院雕塑系的您，學校時期的所學對漫畫創作有什麼幫助或影響嗎？

A：幫助有好有壞，漫畫本身是屬於平面的一樣事物，通過雕塑我學習到了更多是人體的某些體塊或比例，但正因為他是三維的，在轉化成漫畫的過程中除了型體感的幫助外，現在看來也有一定的思維方式上的製約，有時候不知道這種「放不開」是因為自身還是專業所帶來的，應該是自身吧，能靈活地運用就算是背道而馳的知識也能很好的轉化，還能怪誰呢！

3 您最喜歡的漫畫作者是那幾位？請和我們分享您的感動。

A：沙村廣明。沒有幾位只有一位。《無限之住人》雖然是一部成人並血腥的漫畫，但我看完得到的更多的是一種時代感的感動。

4 可以跟大家透露一下現在正進行中的作品嗎？大概甚麼時候可以發表？

A：正在進行的作品是一個中國古代魔幻類的故事，裡面有我想畫的變身、打鬥、妖怪。在適合的時機我就會發表。

5 老師來過台灣幾次，可以跟台灣讀者們說一下來交流的感想嗎？

A：兩次，第一次是台北書展，第二次是新竹的漫展，這兩次的到訪讓我越來越喜歡台灣，甚至打聽怎麼才能在這裡定居，哈哈哈！這裡有一種讓人自在的感覺，無論同行，或是讀者，第一次見面總能產生那總一見如故的感覺，要我總結就是「自由自在」吧！很喜歡這裡。

《餓鬼道》

《藏葵》

《新月湖》

6　一開始就以濃厚科幻元素的漫畫作品登上國際，您是否是科幻迷？

A：有，我最喜歡的SF類作品，應該是石森章太郎的假面騎士，其中又以《假面騎士BLACK》為代表。這個真人電視劇在播放時正是我小學一年級，對我的影響卻到今時今日。怪獸和變身這種原素可以說是我最喜歡的。遺憾的是現在也沒能畫出這樣的作品，我會努力的。

7　是否願意和亞洲漫畫家們分享與法國出版社合作的經驗？

A：經驗我覺得都是看每個人不同的，比如我很少看歐美的漫畫，最初合作時對於一頁要分鏡的格數，敘事的電影化都任何參考，只是硬著頭皮畫下去，在這個過程裡我才去接觸歐美的漫畫，發現他們的繪畫鏡頭擺在那裡，如何敘事，這些都在創作時一步一步自己去了解並與劇本作家達成共識的，這裡很感謝JD讓我有這個機會畫你的作品。

8　除了漫畫，平日還有什麼愛好？

A：作為一個死宅，除了畫畫剩下就是打遊戲了，我是一個忠實的TVGAME玩家，家用機遊戲全機種制霸，說起熱情，假如和我聊遊戲，我絕對會比聊畫畫聊得更開心。我覺得我的人生是畫畫為了賺錢，賺錢為了打遊戲。

9　我們知道您非常年輕就獲得日本國際漫畫大賞的鼓勵，可以說一下當初知道得獎的心情嗎？

A：當時的心情並不在這個獎上，這是心裡話，最大的興奮感是可以見到自己喜歡的漫畫家—沙村廣明先生，這個是我做夢也想不到的事，對於那次的回憶，我只剩下在講談社的會議室像個傻子一樣聽著偶像說著不懂的語言並一直點頭心裡卻興奮得要死的心情了。

大好世紀創意志業 Printed in Taiwan.

ZAYA

時報書碼：WO03001

作　　者——黃嘉偉
編　　劇——Jean-David MORVAN
翻　　譯——王晶盈
監　　修——辜振豐
文字編輯——張清龍、曾維新、李宇霖
責任編輯——曾維新
美術設計——林宜潔
製 作 部——李宇霖
國際版權——張毓玲

董 事 長
發 行 人 ——趙政岷

大好世紀
總 編 輯 ——夏曉雲

出版　　大好世紀創意志業有限公司
地址　　台北市萬華區和平西路三段240號
電話　　02-2308-2100
總經銷　時報文化出版企業股份有限公司
地址　　桃園縣龜山鄉萬壽路二段351號

印　　刷——和楹印刷股份有限公司
初版--刷——2015年11月27日
定　　價——新台幣550元
ISBN：978-986-91357-2-6